MAQUILLER

LES ENFANTS

TABLE DES MATIERES

Dans ce livre, nous proposons des maquillages pour enfants à réaliser par les adultes. Mais rien n'interdit aux enfants de se maquiller eux-mêmes, à la seule condition toutefois de renoncer à se farder les yeux au kohl ou au mascara et de mettre des faux-cils.

LE MATERIEL

Le petite palette de fards.

Les fards sont proposés sous forme de produits à base aqueuse, de produits gras (brillants) et secs (mats). Les principaux fards secs sont le rouge à joues et les ombres à paupières. Les fards à base aqueuse et les fards gras sont disponibles dans une infinité de tons. Si les premiers sont moins chers et s'ôtent aussi plus aisément à l'eau et au savon, seuls les produits gras permettent de dessiner des transitions discrètes et des ombres sur le visage. Il est possible de faire un dégradé parfait à l'aide de fards gras de différentes couleurs; c'est pourquoi ce maquillage n'est pas fixé et il convient donc de le poudrer, une fois terminé. Les maquillages de ''papillon'', de ''lapin'' et de ''chat'' ne peuvent être réalisés qu'avec des produits gras.

La base de nombreux maquillages est formée par les fonds de teint. Ce sont des nuances de peau plus ou moins claires ou foncées appartenant à la catégorie des fards gras et nécessitant de ce fait un poudrage. Au début, nous vous conseillons d'utiliser une poudre incolore, qui restitue fidèlement une large gamme de maquillages. Attention: ne jamais poudrer les parties colorées en noir! La poudre est appliquée au moyen d'une houppette, un tampon en velours de coton lavable rempli de mousse. Le surplus est éliminé avec un pinceau à poudre.

On répartit les fards gras uniformément sur la peau au moyen de petites éponges à maquiller à peine humidifiées. Elles servent aussi à estomper la démarcation entre deux zones de couleurs juxtaposées. Les pinceaux ronds et plats sont employés pour colorier des surfaces plus restreintes et pour dessiner des détails. En principe, on utilise un pinceau par couleur. Les plus indiqués sont les pinceaux en poils de martre rouge numéros 4, 5, 8 et 12. Des dermatographes sont indispensables à la délimitation des contours. Ces crayons à maquiller existent dans presque toutes les teintes. Tout comme les taille-crayons spécialement conçu pour eux, ils sont vendus en drogueries et en parfumeries.

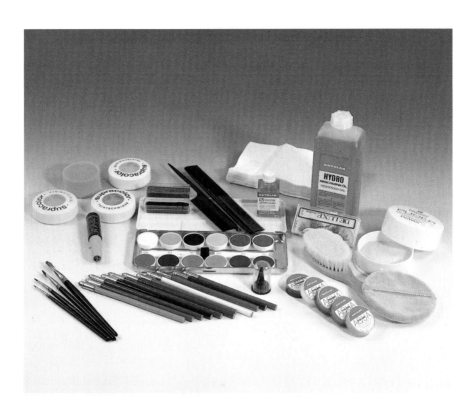

Pour les yeux, nous sommes habitués au mascara présenté sous forme liquide et qui s'applique à l'aide d'une petite brosse ronde. Il existe par ailleurs du mascara solide applicable au moyen d'une brosse plate.

Les faux-cils viennent à point, si l'on veut intensifier le regard. Ils sont proposés dans tous les modèles, depuis les plus courts jusqu'aux plus longs et aux plus scintillants. Ces faux-cils sont appliqués grâce à une colle ad hoc. Les faux nez sont collés à la gomme-mastic. La gomme-mastic sert aussi à mieux fixer les bonnets et perruques. Elle s'élimine à l'aide d'isopropanol, de dissolvant spécial pour gomme-mastic ou de lotion faciale alcoolisée. L'eau est impuissante à éliminer le fard gras. Il ne se dissout qu'à la suite de mouvements circulaires effectués par les doigts enduits d'huile démaquillante ou de vaseline; essuyer ensuite avec des mouchoirs en papier.

Vous trouverez tout ce matériel dans les magasins spécialisés dans le maquillage et les accessoires de théâtre. D'autres produits cosmétiques tels que la crème scintillante, le fard à joues et les crayons anti-cernes sont disponibles dans toutes les parfumeries.

LES BASES DU MAQUILLAGE

Il importe d'utiliser un seul pinceau par couleur

Avant de commencer, dégagez le visage de l'enfant grâce à un serre-tête qui retiendra ses cheveux. Nettoyez les peaux grasses avec une lotion astringente: un maquillage réussi suppose un support sec et propre sur lequel les fards gras adhéreront bien. Suivant le style de maquillage, boutons, taches de rousseur et rougeurs seront masqués par de la crème couvrante. Pour le fond de teint, vous choisirez une nuance en harmonie avec l'expression finale du visage et vous l'appliquerez avec une éponge légèrement humide. A cet effet, ne prenez que très peu de fard et enlevez la quantité superflue sur le bord de la boîte. Appliquez-en une mince couche uniforme en procédant par mouvements concentriques vers la racine des cheveux, les tempes et le cou. Renoncez au fond de teint, si toute la surface du visage est recouverte de fard de couleur, comme dans le cas des maquillages d'arlequin, de clown ou de lapin. Le fond de teint se brouillerait et assombrirait l'éclat des autres couleurs. Pour ces maquillages, on commence en général par définir au crayon gras, sur le visage, les contours que l'on remplit ensuite avec du fard gras. Afin de tracer des traits d'un geste assuré, on peut s'appuyer sur la joue ou le front du sujet à maquiller en y intercalant la houppe à poudre. Si, malgré tout, la main a dévié, il est possible de réparer l'erreur avec un coton-tige humecté de démaquillant. Essuyez avec un coton-tige propre. En principe, les grandes surfaces sont dessinées à l'éponge et les plus petites au pinceau. L'éponge permet aussi de réaliser la transition entre divers fards gras sans contours marqués. Les maquillages conçus sur la base de fard gras sont fixés à la poudre. La poudre enlève le brillant et prévient le mélange des couleurs entre elles. Mettez-la avant d'appliquer les couleurs vives. Pour la fixer, tamponner et tapoter légèrement le maquillage avec la houppette afin d'amalgamer fard et poudre en une couche homogène. Puis éliminer l'excès de poudre avec un pinceau ou une brosse pour bébé.

Etendre le fond de teint: prenez un peu de fard sur une éponge légèrement humide et frottez-la contre le bord de la boîte pour en éliminer le surplus. Appliquez le fard uniformément par petites touches circulaires. Le teint naturel doit transparaître, les pores doivent respirer.

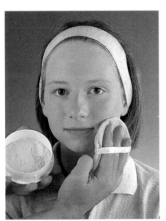

Poudrer: Avec l'éponge, faites pénétrer délicatement la poudre dans le fard par tapotements successifs. Eliminez l'excès à l'aide d'un pinceau à poudre.

Coller les faux-cils: tailler les faux-cils à mesure et coller.
Soyez attentifs à placer le côté où les cils sont plus courts dans le coin intérieur de l'œil.

On parachève le maquillage en fardant les lèvres et les cils. Alors que les lèvres se contentent le plus souvent d'être peintes en rouge, le maquillage des cils s'avère généralement plus complexe. On donne aux cils plus de volume et la forme voulue grâce à l'application de mascara liquide ou solide. La pose de faux-cils confère au regard une intensité particulière. Ils sont coupés à la longueur qui convient et collés le plus près possible de la frange de cils naturels. Il faut fermer les yeux pendant l'opération et ne les rouvrir que lorsque la colle est sèche, soit une minute après environ.

Ce n'est qu'une fois le maquillage achevé que l'on met la perruque. Pour ce faire, aplatir au maximum la chevelure naturelle sous un large bandeau. Les cheveux longs seront enroulés, mèche par mèche, en "macarons" fixés par des épingles à cheveux. En principe, une perruque s'ajuste sur le devant de la tête pour être, ensuite, tirée vers l'arrière. On peut aussi encoller la bande en tulle avec de la gomme-mastic au front et à la nuque.

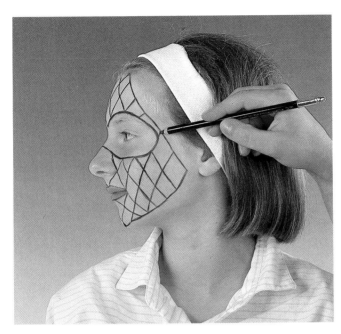

Tracer les contours: les contours sont dessinés sur le visage avec des dermatographes de couleur. Ces ''crayons pour la peau'' sont des crayons de maquillage à pointe douce et à mine grasse colorée.

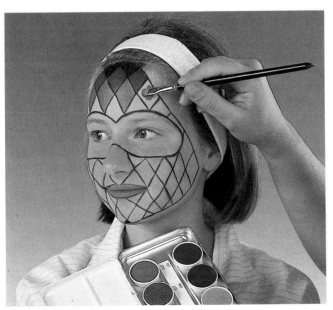

Peindre les surfaces: les zones bien délimitées sont remplies au pinceau rond ou plat. Chaque couleur a son pinceau.

MAYA L'ABEILLE

Danièle, avant le maquillage qui la métamorphosera en abeille.

Pour le maquillage de Maya l'abeille, vous avez besoin de fards gras brun et jaune ainsi que d'un crayon gras brun et de mascara noir. Décomposez le visage en bandes horizontales. Peignez les bandes ainsi délimitées en alternant les fards gras jaune et brun. Hachurez ces zones avec du fard gras brun clair et brun foncé. Ces hachures se font au pinceau. Noircissez la pointe du menton et la naissance des cheveux. Soulignez respectivement la paupière inférieure et supérieure. Maquillez les cils en noir et poudrez le visage. Puis, crêpez les cheveux et posez-y des antennes.

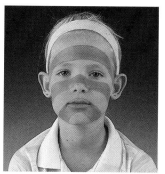

Délimiter des bandes brunes...

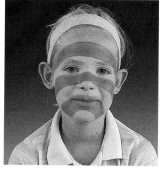

...et des bandes jaunes.

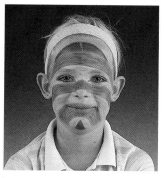

Les hachurer de brun.

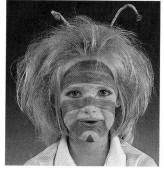

Souligner les paupières.

12

MICKEY

Eve, avant d'être maquillée en Mickey comme à Disneyland.

Le maquillage de Mickey est basé sur un contraste noir et blanc. Commencez par définir les contours au crayon gras noir, en veillant à la symétrie du dessin. Puis appliquez du fard gras noir des contours extérieurs à la naissance des cheveux, aux tempes et au cou. Dessinez un petit cercle dans le pourtour de chaque œil et noircissez-le. Tracez alors les lignes de la bouche et peignez le nez en noir. Coloriez la bouche avec du fard rouge et le visage avec du fard blanc. Repassez ensuite sur les contours au crayon gras noir. Le bonnet de Mickey sera mieux ajusté si ses bords sont enduits de gomme-mastic.

Définir les contours.

Noircir.

Réaliser le fond blanc.

Accentuer les contours.

L'INDIEN

David veut être
un indien.

Appliquez sur le visage une couche fine et uniforme de fond de teint rouge-brun avec une éponge humide. Les sourcils seront noircis à la brosse mascara. Soulignez ensuite la paupière inférieure d'un trait de crayon gras noir et poudrez le visage.

Ornez les joues et le menton de dessins bariolés au pinceau. Le maquillage terminé, le compléter par une perruque d'indien avec un bandeau et une plume.

Facultatif: faire deux tresses latérales entourées de raphia rouge. En effet, les tresses ne sont pas réservées à la squaw, mais sont également portées par l'indien.

LES TROIS GRACES

Le maquillage de danseuse exige un "Beauty-Makeup". Etendez un fond de teint clair. Vous aurez caché au préalable les imperfections au moyen d'un crayon anti-cernes. Renforcez l'arcade sourcilière au brun clair. La couleur se fond en douceur dans les creux de part et d'autre du nez. Puis appliquez du rouge clair sur les joues et ombrez les paupières en bleu-vert. Inscrivez des traits noirs autour des yeux et collez des faux-cils que vous dissimulerez dans les vrais. Ensuite la bouche sera richement carminée. Enfin, touche finale avec un grain de beauté sur la joue, réalisé au crayon noir gras.

Carine sans son maquillage

Appliquer fond de teint et ombre à paupières.

Mettre du rouge à joues tendre.

Entourer les yeux de traits noirs et poser des faux-cils.

Terminer par le rouge à lèvres.

La vamp
Reconnaissez-vous Carine?
La ballerine s'est muée en une vamp. On n'a pas touché au maquillage, seuls les cheveux ont été crêpés et parsemés de paillettes.

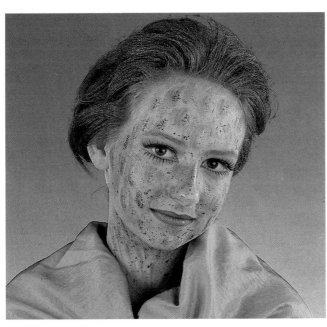

La sirène
Le maquillage de ballerine, toujours le même schéma de départ, est devenu méconnaissable. Des écailles dans les tons verts sont ordonnées sur le visage au pinceau ou à l'éponge. Puis une crème scintillante turquoise est appliquée et les lèvres sont maquillées.

19

LE PAPILLON

Eve au naturel, avant de prendre son envol.

La livrée somptueuse des papillons a inspiré ce maquillage merveilleux. Commencez par dessiner les contours avec des crayons gras de couleur. Les ailes supérieures sont remplies de fard gras rose, les ailes inférieures pour moitié de fard gras violet et de fard gras bleu-vert. Les raccords sont estompés à l'éponge. Coloriez en jaune le corps du papillon et structurez-le au fard brun.

Foncez les paupières au fard noir gras et soulignez les yeux d'un trait noir. Noircissez les cils, rehaussez les lèvres de rose pâle et, au fard vert, remplissez de petites rayures les surfaces laissées en blanc.

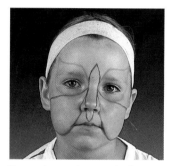

Tracer les contours colorés.

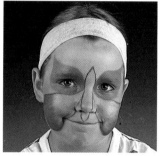

Peindre les ailes.

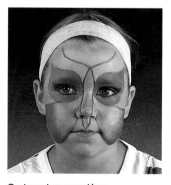

Ombrer les paupières.

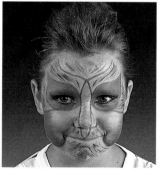

Strier de raies vertes.

LE LAPIN

Nadine, avant d'être transformée en lapin et de manger des carottes.

D ans ce maquillage, l'effet est produit par l'alternance de contours nets et flous. Dessinez d'abord les contours en gris. Puis, à l'éponge, remplissez-les de fard gras de même couleur, en exceptant les joues, la lèvre supérieure et le menton. Ces zones laissées libres sont ensuite passées au blanc. Disposez du blanc dans l'arc supérieur des yeux ainsi qu'un peu sous la paupière inférieure. Complétez par des arcs inférieurs et une truffe passés au fard noir gras. Un peu de rose sur les joues et les lèvres. Du mascara sur les cils. N'oubliez pas de dessiner deux dents au blanc de clown sur la lèvre inférieure ainsi que les moustaches au crayon noir.

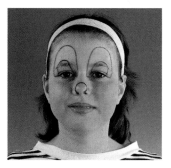

Dessiner le contour des yeux et du nez.

Appliquer les fards au moyen de l'éponge.

Remplir le cercle des yeux.

Dessiner le museau.

LE CHAT

Danièle est déjà prête à sortir ses griffes.

Appliquez sur la paupière supérieure du fard gris gras en remontant des tempes jusqu'à la naissance des cheveux. Ombrez le front, les ailes du nez et les joues. Passez alors du blanc de clown sur le front, l'arête du nez, les pommettes et autour de la bouche. Afin de simuler une fourrure, dessinez des rayures noires, blanches et roses. Peignez l'extrémité du nez en noir et esquissez le museau et les poils des moustaches. Cerclez ensuite les yeux de noir et maquillez les cils. Ravivez les lèvres au fard gras rose. Crêpez les cheveux, mettez de la laque et faites des mèches noires.

Appliquer les fards gris et blanc sur le visage.

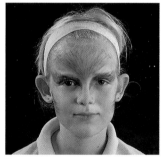

Dessiner des rayures noires évoquant une fourrure.

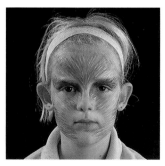

Ajouter des rayures roses et blanches.

Cerner les yeux de noir, peindre la truffe et le museau.

LE CLOWN

Nadine telle qu'elle était avant de plonger dans la fête.

Le clown est par essence un masque triste. Tracez au crayon gras noir, et ceci le plus symétriquement possible, les contours des yeux, de la bouche et du nez. Ensuite, appliquez le blanc de clown au pinceau, sans toucher aux surfaces englobant le nez et la bouche. Tamponnez le fard blanc gras avec une éponge pour le répartir de façon régulière. Puis soulignez chaque œil d'un trait noir et d'un cil noir pointé vers le bas. Le nez est peint en noir et la bouche en rouge. Retouchez ensuite les contours. Ce maquillage est complété par une perruque rouge bouclée que l'on ajuste sur la tête d'avant en arrière.

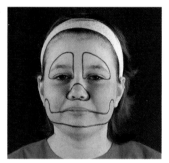

Tracer les contours.

Appliquer le blanc de clown.

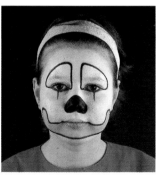

Peindre le nez en noir.

Peindre la bouche en rouge.

L'ARLEQUIN

Carine sans son maquillage

À l'aide d'un crayon noir gras, entourez les yeux d'un loup (demi-masque) et recouvrez le reste du visage d'un motif de losanges. Coloriez-les conformément à un schéma de couleurs préétabli. En l'occurence, nous avons choisi le spectre de l'arc-en-ciel. Puis remplissez le loup de turquoise et peignez la bouche en rose. Cernez les yeux d'un trait noir et dessinez des cils sur la paupière supérieure. Appliquez du mascara sur les cils. Passez du fard gras noir sur les contours externes du maquillage jusqu'à la naissance des cheveux. Coiffez et teignez les cheveux en noir.

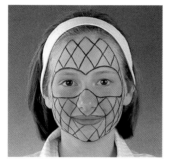

Dessiner les contours des losanges et du loup.

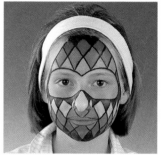

Remplir les losanges des divers coloris.

Colorier le loup et cerner les yeux de noir.

Noircir les contours du maquillage et les cheveux.